Chi
y su familia

Lada Kratky
Ilustraciones de Jon Goodell

HAMPTON-BROWN

Mi familia

Papá Chivo
(mi papá)

Mamá Chiva
(mi mamá)

Chivito
(¡Soy yo!)

Rosita
(mi hermana)

Pimpollo
(mi hermanito)

Contenido

El pueblo de Chivito

5

En la mañanita

Bien tempranito, Papá Chivo
se despertó. Se sacudió bien y
se peinó la barba.

Después, salió de su casa
y siguió un caminito que subía
por el monte. Con cada paso,
el camino se volvía más difícil.

Papá Chivo subía por las rocas con agilidad. Por fin llegó a la cima de la gran montaña Rascanubes. Se llenó los pulmones de aire y soltó un gran berrido: "¡BAAAAAA!".

Así anunciaba la madrugada.

Su voz atravesó el valle.

Despertó al gallo Tenorio, que

dormía en un corral.

Tenorio se subió al techo y

se puso a cantar: "¡Co-coro-có!".

Benito, el burrito,

se puso a rebuznar:

"¡Iiiooo, iiiooo!"

Los demás animales saludaron

el día, cada uno a su manera.

En casa de la familia de
Chivito, Mamá Chiva se levantó.
Se cepilló los pelos rizados que
tenía en la frente.

Luego se fue al cuarto de
sus hijos. Les rascó las orejas
a Chivito, el mayor, a Rosita, la
segunda, y a Pimpollo, el bebé.

—Despiértense, chivitos, y arréglense —dijo—, mientras que yo les preparo algo sabroso.

Rosita saltó de la cama y empezó a peinarse. Pimpollo dio un tremendo bostezo. Más dormido que despierto, rodó y rodó hasta que dio con el piso. Pero Chivito seguía durmiendo. Ni siquiera se había movido.

Rosita y Pimpollo oyeron

a su mamá que canturreaba:

"Ba ba ba bom, ton ton . . .

Be be be bim, tin tin . . .".

Pero Chivito no la oía. Seguía

durmiendo a pata suelta.

—Chivito, ¡apúrate! —dijo
Rosita—. Ya viene papá.

Pero Chivito no la oía. Seguía
durmiendo con la boca abierta.

Cuando Papá Chivo regresó de la montaña, partió la sandía para el desayuno. Mamá Chiva exclamó:

—A la mesa, chivitos, y buen provecho.

Papá Chivo, Rosita y Pimpollo se sentaron. Aún faltaba Chivito.

—Ya vendrá ese dormilón
—dijo Papá Chivo. Y se pusieron
todos a comer, agitando sus
colitas alegremente.

Así comenzaba sus días
la familia de Chivito.

¡Despiértate ya!

Un rayito de sol se metió por la ventana del cuarto de Chivito.

—Despiértate ya, Chivito. Sal a jugar —lo llamó el rayito, haciéndole cosquillas en la nariz.

—Mmm —murmuró Chivito, y siguió durmiendo.

Al rato, el viento se metió por la ventana y le revolvió las cobijas:

—S-s-sal, Chivito. S-s-sal a correr por la pradera.

—Mmm, grrr, grrr —murmuró Chivito y se envolvió en la cobija.

Un rato después, la lluvia
llamó a la ventana:

—Plin, plin, plin, Chivito.
Sal a jugar en el lodo.

Chivito se dio vuelta y
siguió durmiendo.

Un olor delicioso entró
al cuarto.

—Mmm. Arroz con leche
—murmuró Chivito.

Después se oyó: "Glu, glu, glu".
Alguien estaba tomando jugo.

"Chom, chom, chom". Alguien
estaba comiendo sandía.

Chivito saltó de la cama y corrió a la cocina.

—¿Por qué no me llamaron? ¿Se lo comieron todo? ¿No me dejaron nada? —gritó desesperado.

—Siéntate tranquilo, Chivito
—respondió Mamá Chiva, y le
sirvió un plato de sandía—. Hay
un poco de todo.

—¡Mmm! —dijo Chivito,
dándole una mordida a la sandía—.
¿Por qué no me llamaron?

—¿No les dije que ya vendría?
—preguntó Papá Chivo.

La montaña

Al terminar el desayuno,
Papá Chivo se retiró de la mesa.
Se sacudió. Luego se despidió
de su familia.

—Parece que ya dejó de
llover —dijo—. Es un buen día
para cavar hoyos para sembrar
unos árboles.

—¡Yo voy contigo, papá!
—gritó Chivito.

—Gracias, hijito, pero este trabajo es para chivos grandes —contestó su papá. Recogió su pala y se dirigió a la pradera con paso firme.

Pronto se le unieron otros
chivos del vecindario.

Chivito se quedó pensando:
"Yo ya soy grande, aunque
nadie me lo crea. ¡Ya verán!".

—Con permiso —le dijo a su mamá—, tengo algo importante que hacer.

—Está bien, hijo, pero cámbiate primero —contestó Mamá Chiva.

Chivito se cambió. Luego salió de la casa con paso firme.

Siguió el camino que su papá
seguía cada madrugada. ¡Iba a
escalar la montaña Rascanubes!

No importaba que sus padres le habían dicho:

"No puedes subir la montaña, Chivito. Tú eres muy chiquito todavía".

Empezó a subir. Con cada paso que daba, el sendero se hacía más difícil.

—¡Uf! —se quejó Chivito al rato—. Esto está muy duro.

Sin embargo, siguió subiendo. Ahora el sendero se había vuelto muy rocoso y Chivito apenas encontraba lugar donde poner sus patitas.

—¡Uy! —exclamó Chivito—.

Voy a descansar un ratito.

Se recostó contra una roca

y cerró los ojos. Cuando se había

recuperado, dijo:

—¡Ya soy bien grande! Sé que

llegaré hasta la cima.

Pasito a pasito, Chivito siguió
subiendo. Tras mucho esfuerzo,
logró por fin llegar hasta la cima
de la montaña. Desde allí miró
a su alrededor. Estaba parado de
puntitas en la pura puntita de
la montaña.

Se sintió orgulloso de sí mismo. Se veía tan ágil y fuerte como su papá.

—¡BAAA! —baló Chivito—. ¡Mírenme todos a mí!

Chivito
abandonado

—BAAA —baló Chivito otra vez.
Creyó que su voz llegaría hasta el
valle. Pero nadie lo oyó.

—¡BAAA! —repitió, esta vez con
más ganas. Pero nada. Su voz no
era tan fuerte como la de su papá.

—Bueno, parece que nadie
me oye —decidió Chivito—.
Mejor ya me bajo.

Miró hacia un lado y el otro.
Pero no hallaba por dónde bajar.
Dio un pasito y resbaló.

Una lluvia de piedritas
empezó a rodar cuesta abajo.
A Chivito le entró miedo.

—¡Ay, mamita! ¿Ahora qué hago? —se preguntó. Pasaron los minutos. Chivito no podía dar ni un paso. Pasaron las horas.

Por fin Chivito vio a su papá, que volvía a casa a almorzar.

—¡Baaa! —baló, pero su vocecita no lo alcanzó.

—Seguro que se darán cuenta
que no he llegado a comer y
vendrán por mí —lloriqueó.

Esperó y esperó. Pero nadie
vino por él.

—¿Qué estarán comiendo en casa? —suspiró—. A lo mejor mamá preparó manzanas al horno, con azúcar y canela.

Al rato, Chivito vio que se abría la puerta de su casa. Salió su papá, frotándose la panza como si nada pasara.

—¡Papá! —gritó
Chivito con toda el
alma—. ¡Papá! ¿No
te das cuenta que
tu hijo mayor no está? ¡Papáá!

Chivito se sintió abandonado.
Se tapó los ojos con las patitas y
se puso a llorar.

El rescate

Abandonado en la montaña, Chivito no dejaba de llorar.

Lloraba tanto que ni se dio cuenta cuando su papá empezó a subir la montaña. Todavía estaba llorando cuando su papá lo encontró poco después.

Sin decir ni una palabra, Papá
Chivo se lo subió al lomo. Bajó
con paso seguro hasta el pie de
la montaña. Allí depositó a Chivito
en el suelo y le dijo:

—Me tenías muy preocupado.

—Perdón, papá —respondió
Chivito con lágrimas en los ojos.

Papá Chivo abrazó a su hijo

y le dijo:

—Vete con tu mamá. Ella

también está muy preocupada.

Chivito corrió a su casa. Su
mamá lo esperaba en la cocina
con un plato de sopa de fideos.

—¡Ay, qué rico! —exclamó
Chivito. Galopó hacia la mesa.

Pero su mamá lo detuvo.

—Un momento —le dijo

ella—. ¿No te hemos dicho que

no subas la montaña solito?

—Sí, mamá, pero yo pensé

que ya era grande —respondió

Chivito.

Mamá Chiva suspiró y salió de la cocina. Volvió con un sombrero de Papá Chivo y se lo puso a Chivito. Le tapaba los ojos.

—¡Eh! ¡No veo! —protestó Chivito.

—Cuando este sombrero te quede bien, entonces serás grande —explicó su mamá—. ¿Entiendes?

—Sí, mamá —dijo Chivito.

—Bueno. Ya cómete tu sopa, hijo —le dijo su mamá.

—Mmm. ¡Qué buena está la sopa! —murmuró Chivito.

—También hay manzanas al horno —dijo su mamá.

Cuando terminó de comer, Chivito se puso a pensar. Decidió que, por ahora, no estaba del todo mal ser un chivito chiquito.

Canción del chivito*

Un chivito muy chiquito

a una montaña subió,

pero no pudo bajarse,

por eso allí se quedó.

Entonces vino su padre

y al chivito rescató.

Ya el chivito está en su casa

y su lección aprendió.

*Se canta con la melodía de "Las mañanitas".